Títulos de la colección:

ARTISTAS:
El sueño de Dalí
El sueño de Segrelles
El sueño de Toulouse-Lautrec
El sueño de Botticelli
El sueño de Miró
El sueño de Sorolla
El sueño de Goya
El sueño de Picasso
El sueño de Paul Gauguin
El sueño de Velázquez
El sueño de Fernando Botero
El sueño de Marc Chagall
El sueño de Van Gogh
El sueño de Paul Klee
El sueño de Rembrandt
El sueño de Matisse

ESCRITORES:
El sueño de Lorca
El sueño de García Márquez

LIBERTADORES:
El sueño del Che Guevara
El sueño de Simón Bolívar
El sueño de San Martín

Pol. Industrials Els mollons
C/Tapissers, 17 - 46970 Alaquàs (Valencia)
alejandro@brosquilediciones.com
www.brosquilediciones.com

Coordinación editorial: Alejandro Camarasa

Primera edición: Abril 2010
ISBN: 978-84-9795-127-2
Depósito legal: V-2870-05

El sueño de Paul Klee

Texto e ilustraciones:
Alberto Urcaray

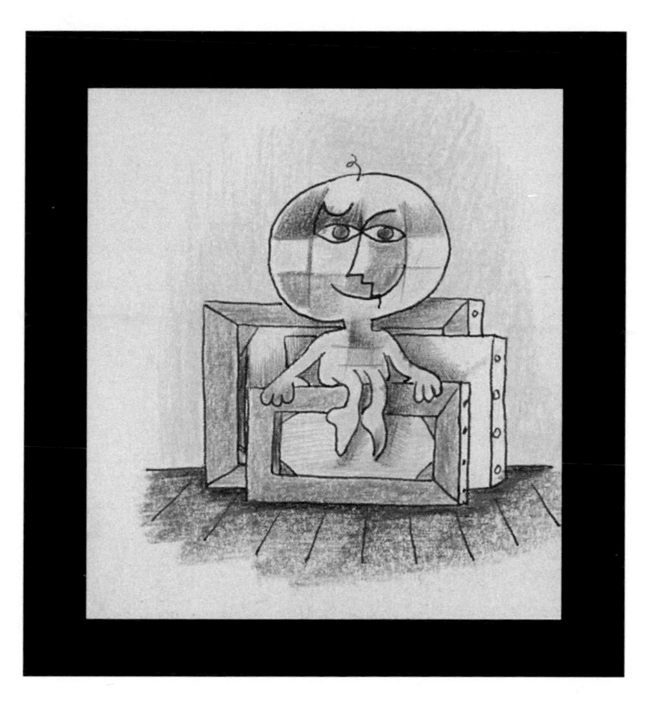

Paul Klee es un gran pintor.
También es un gran músico y, como tal, toca el violín con gran maestría.
Paul pinta durante el día y, antes de cenar y de irse a dormir, toca el violín y parece que sus cuadros se muevan al compás de la música y que los colores bailen.

Pero hay días y días, y cuadros y cuadros.
A veces, el color rojo protesta porque no quiere estar al lado de su amigo el naranja, o acaso el azul se niega a compartir su lugar con el verde, el violeta le saca la lengua al rosa y el blanco se enfurruña en un rincón y no quiere ver a nadie.

En esos días, el cuadro no sale y Paul se siente triste
porque él quiere pintar una obra tras otra.
Al llegar la noche, trata de tocar el violín, pero éste
suena desafinado como cuando los gatos le cantan
a la luna y, entonces, los colores se tapan los oídos
y chirrían los dientes.

Paul Klee tiene un sueño.
Un sueño hermoso para soñar despierto y sentir que vuela en alas de la imaginación.
Sueña con meterse dentro de sus cuadros para caminar por el verde, el amarillo, el celeste, el rosa o el azul que, como pintor, estira con sus pinceles colocándolos en diferentes cuadraditos.

Un día muy especial, Paul Klee sueña despierto
y se siente solo, y por eso está algo triste.

—¡Eh, Paul!— suena una vocecita, suave como un suspiro.
Paul mira a su alrededor y no ve a nadie.
—¿Estás ciego que no me ves? —la vocecita casi grita ahora. Paul, un poco asustado, mira y requetemira, pero sigue sin ver a nadie.

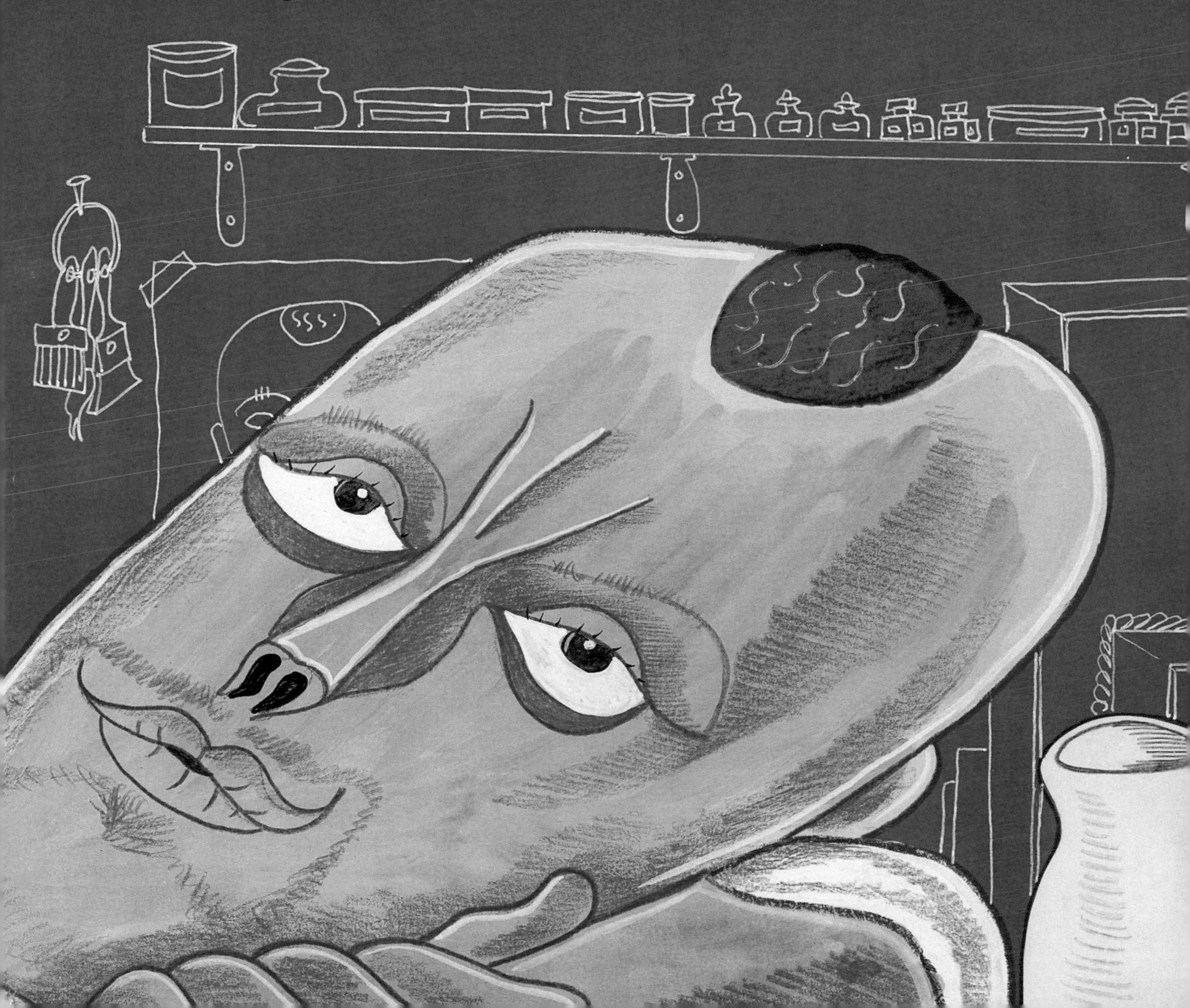

—¡Soy yo, Senecio! ¡Me has pintado y no te acuerdas de mí!— un personaje de cabeza redonda y de varios colores le habla desde un cuadro apoyado en la pared. A Paul los ojos casi se le salen de las órbitas. ¡Su cuadro está vivo! Senecio habla... ¡y le habla a él!

—Paul... ¿te puedo llamar Paul o prefieres que te llamé "papá"? ¿Porque tú me creaste, no?

—Llámame Paul... No puedo creerlo, Senecio... ¡Tú hablas!

—Hombre, claro, y vengo a buscarte porque también me muevo y camino —Senecio sonríe—. Vamos, apúrate, coge tu violín que empieza tu sueño.

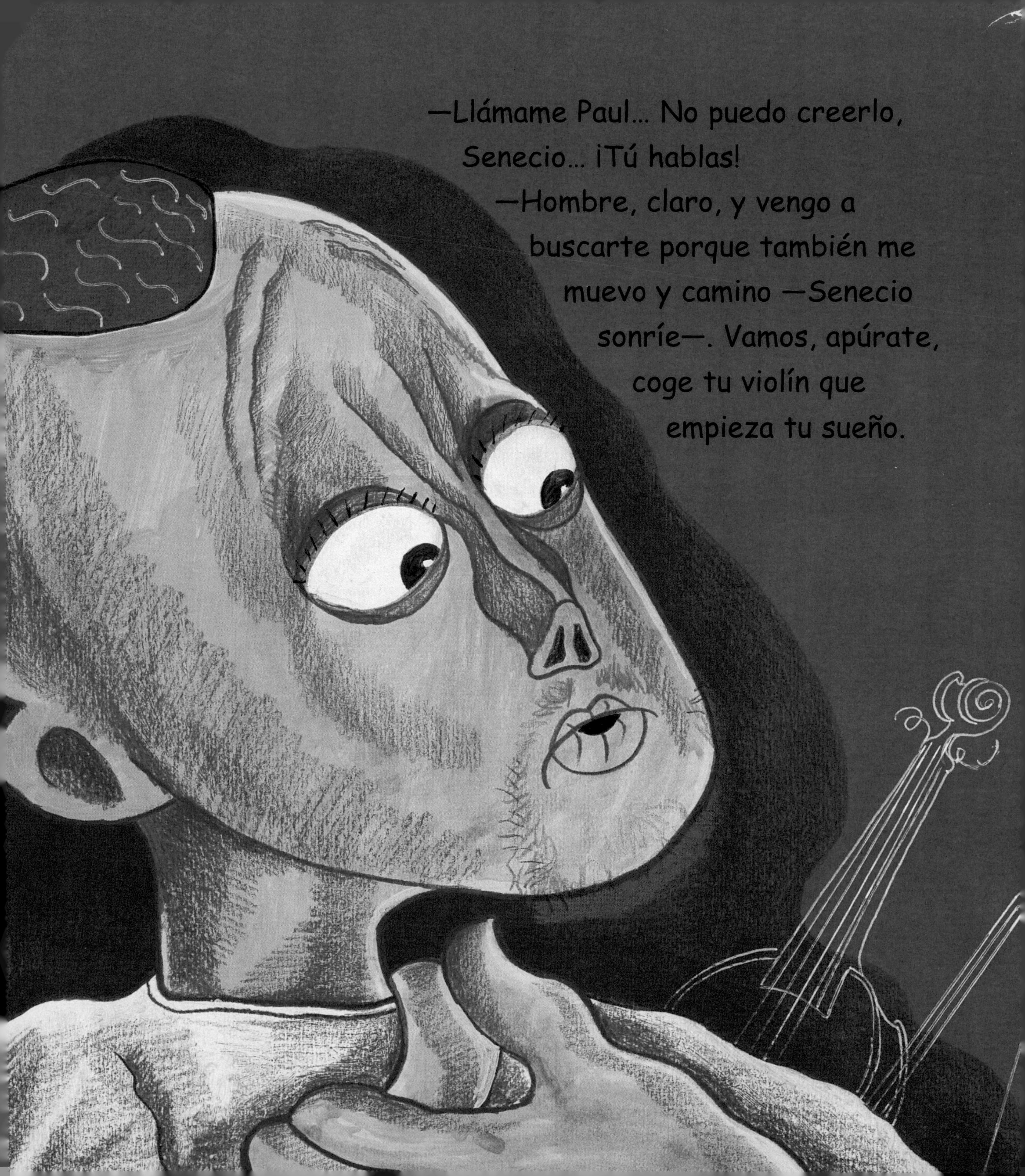

—¿A dónde vamos?

—A pasear dentro de tus pinturas —y Senecio salta fuera de su cuadro y, tomando de la mano a Paul Klee, lo lleva a vivir su más grande aventura.

Y Paul se vuelve chiquito y entra en su mundo mágico.

Los dos aventureros entran de puntillas en un cuadro que muestra muchos caminos, algunos grandes y otros pequeños.
Hay tantos caminos que los amigos no saben cuál tomar, si éste por aquí o aquél por allá.
Mejor tirar una moneda al aire y ver qué sale.
Sale cara, entonces hay que ir para... ¿para dónde?
¿Hacia dónde es cara?
¿Hacia dónde es cruz?
Al fin, confundidos, van para cualquier lado, total... todo es aventura.

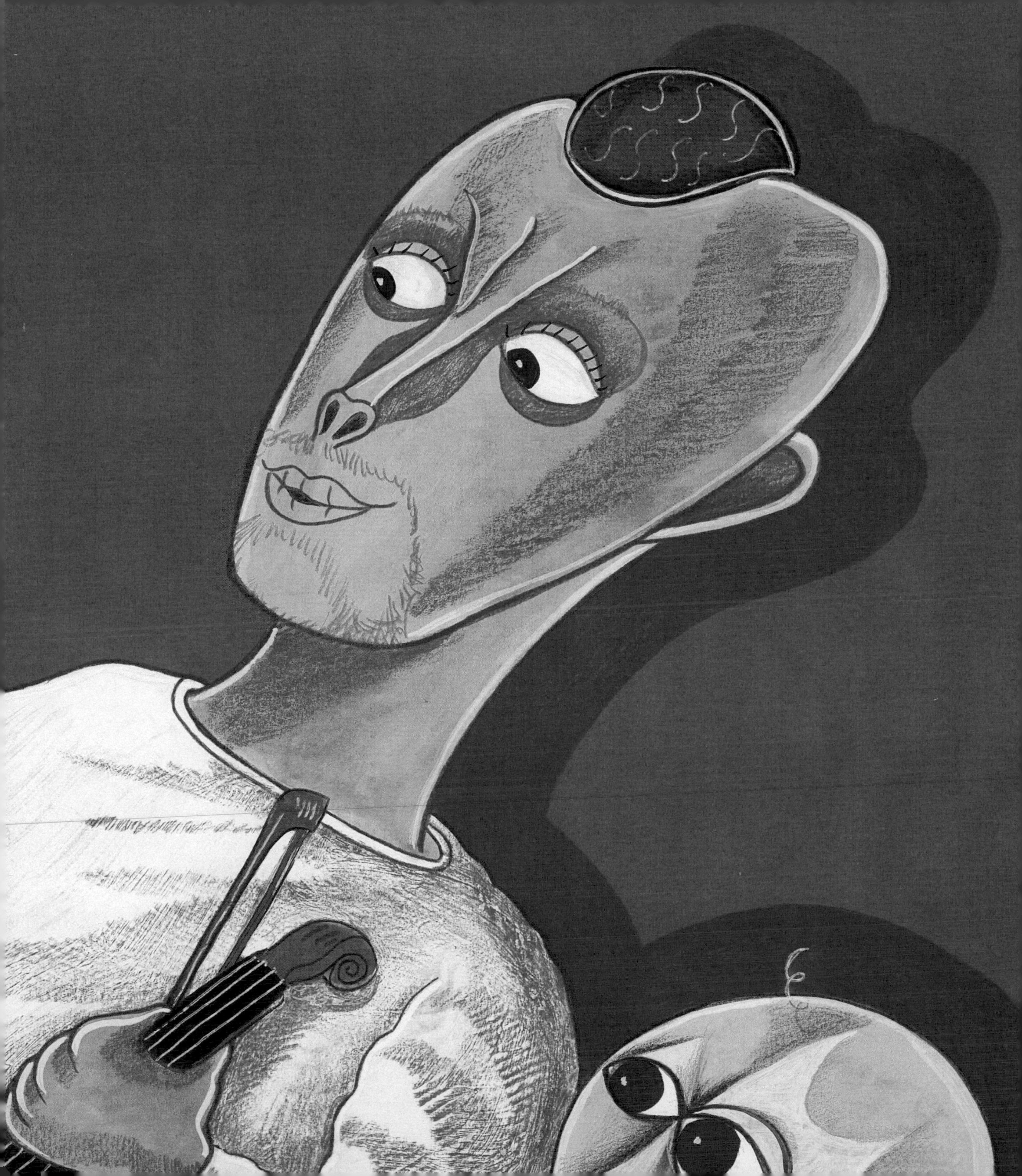

Caminan y caminan hasta entrar en un cuadro al que Paul le ha puesto el nombre "Al margen".
Está lleno de plantas y animales de ojos raros y hasta un pájaro parado en la parte de arriba que no se cae.
En el medio, hay un sol rojo que da tanto calor que los expedicionarios piensan que se van a derretir como un helado.
—¡Pinté un sol para que diera calor al cuadro, pero cómo quema! —grita el pintor corriendo con la lengua afuera.
Senecio lo sigue con miedo, pues piensa que los colores pueden empezar a chorrear y se despintaría todo.

l
u

Tanto corren que, sin darse cuenta, entran en otro cuadro que se llama "Carnaval de la montaña".
Está lleno de personas raras que, a su vez, a ellos los ven más raros aún, y les dan el primer premio de disfraces.
Cada uno escapa con su medalla.

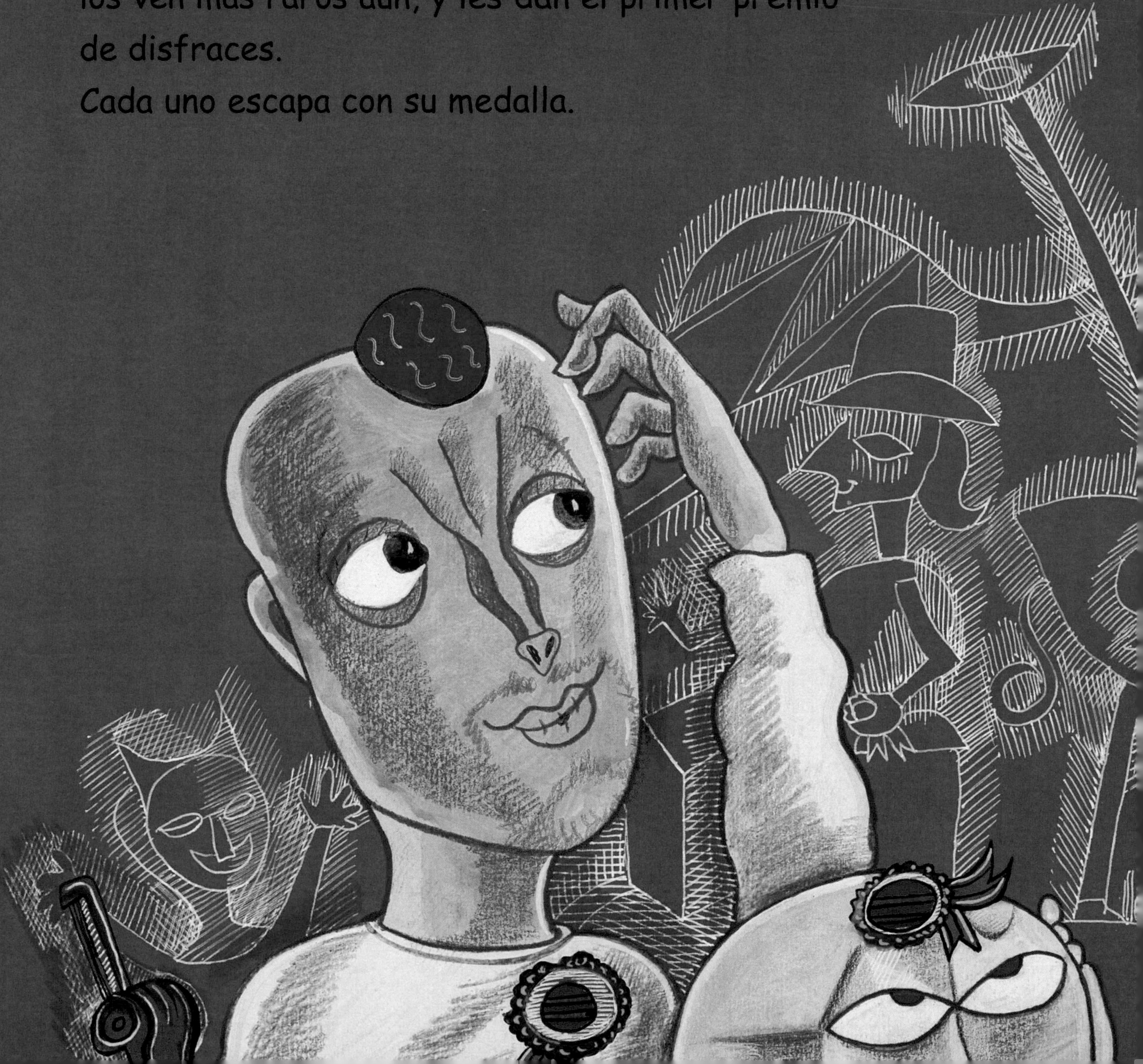

De pronto ven un personaje muy extraño que, tirado en el suelo, escucha cantar a un pájaro que está en las ramas de un árbol sin hojas.

—¡Éste es mi cuadro "La canción del pájaro burlón"! —exclama Paul, alborozado.

—¿Ese hombre se cayó y se hizo daño? —pregunta Senecio.

—No lo sé, no me acuerdo porqué lo dibujé así, el caso es que queda bien y me parece que está cómodo y hasta puede dormir un poco.

—Yo también quiero dormir un poco, Paul —bosteza Senecio.

—Nada de eso, sigamos caminando.

—¿Quiénes son ustedes? —una voz suave de muchacha les llama la atención.

—Yo soy Senecio, un cuadro famoso de Paul Klee.

—¿Y quién es Paul Klee? —pregunta la joven.

—Yo soy Paul Klee —casi tartamudea Paul, avergonzado—. Soy pintor.

—¿Y qué pintas? —pregunta la muchacha.

—Te he pintado a ti —susurra Paul.

—¡Así que has sido tú! Dime, ¿no te quedaba pintura para hacerme el cabello más largo y el vestido de un color más bonito?

—Senecio, mejor nos vamos siguiendo esa flecha roja que ya no me acuerdo porqué la pinté en este cuadro —murmura Paul, al oído de su amigo.

La joven sigue hablando y hablando.
—... además, me has hecho cuatro labios y me los has pintado del mismo color, tampoco me has puesto pendientes en las orejas y...
—¡Huyamos! —gritan mientras corren, los aventureros.

A poco de escapar de la muchacha respondona, Senecio y Paul ven venir hacia ellos unas formas grandes y raras pintadas de brillantes colores.

—¿Qué son, Senecio? Me resultan familiares —dice Paul, dirigiéndose a su amigo.

—¿No los conoces? Pues son parte de tu cuadro "La revolución del viaducto" ¡y vienen como monstruos patosos hacia nosotros!

Paul y Senecio corren a toda la velocidad que dan sus piernas, ya que los pilares del viaducto pisan todo lo que encuentran a su paso.

Los dos están agotados, pero, aún así, siguen adelante. Cada paso les cuesta un gran esfuerzo. De repente, caen en la cuenta de que están subiendo una cuesta tan alta como una de las pirámides de Egipto. Pequeños cuadrados de muchos colores forman la pirámide. Entre la arena y el cielo hay un círculo rojo que representa al sol.

—¡Éste es mi cuadro del Parnaso! —grita Paul, alborozado.
—Subir con este sol, es mucho para mí —jadea
Senecio. —Es mejor que volvamos a tu estudio, a descansar.
A Paul le parece muy bien porque está agotado...
y sorprendido de tanta aventura.

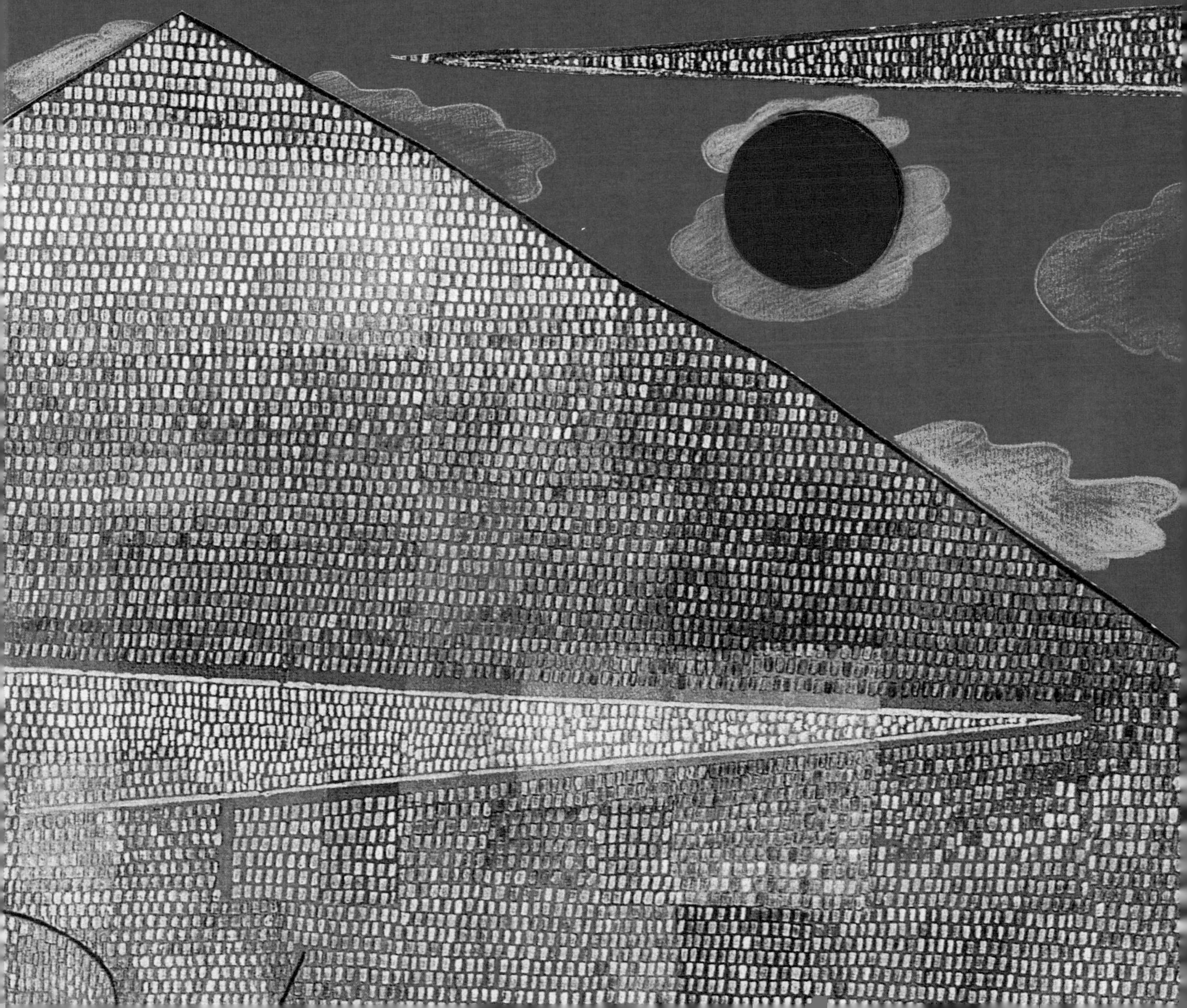

—¿Y cómo salimos de mis cuadros?— pregunta el pintor.
—Es fácil: toca el violín y despertarás de tu sueño
—comenta Senecio, ocultando un gran bostezo.
Paul Klee está feliz de hacer algo que le gusta mucho, porque, ya lo dijimos, la música y la pintura son sus grandes pasiones.

En su sueño, Paul toca el violín como nunca lo ha tocado. Su música, de forma mágica, se desliza por cada uno de sus cuadros y parece que éstos respiran suavemente como si la hermosa melodía los adormeciera.

Senecio da las buenas noches con una vocecita adormilada y se amodorra en su cuadro.
Y Paul Klee despierta, así, de su más hermoso sueño.

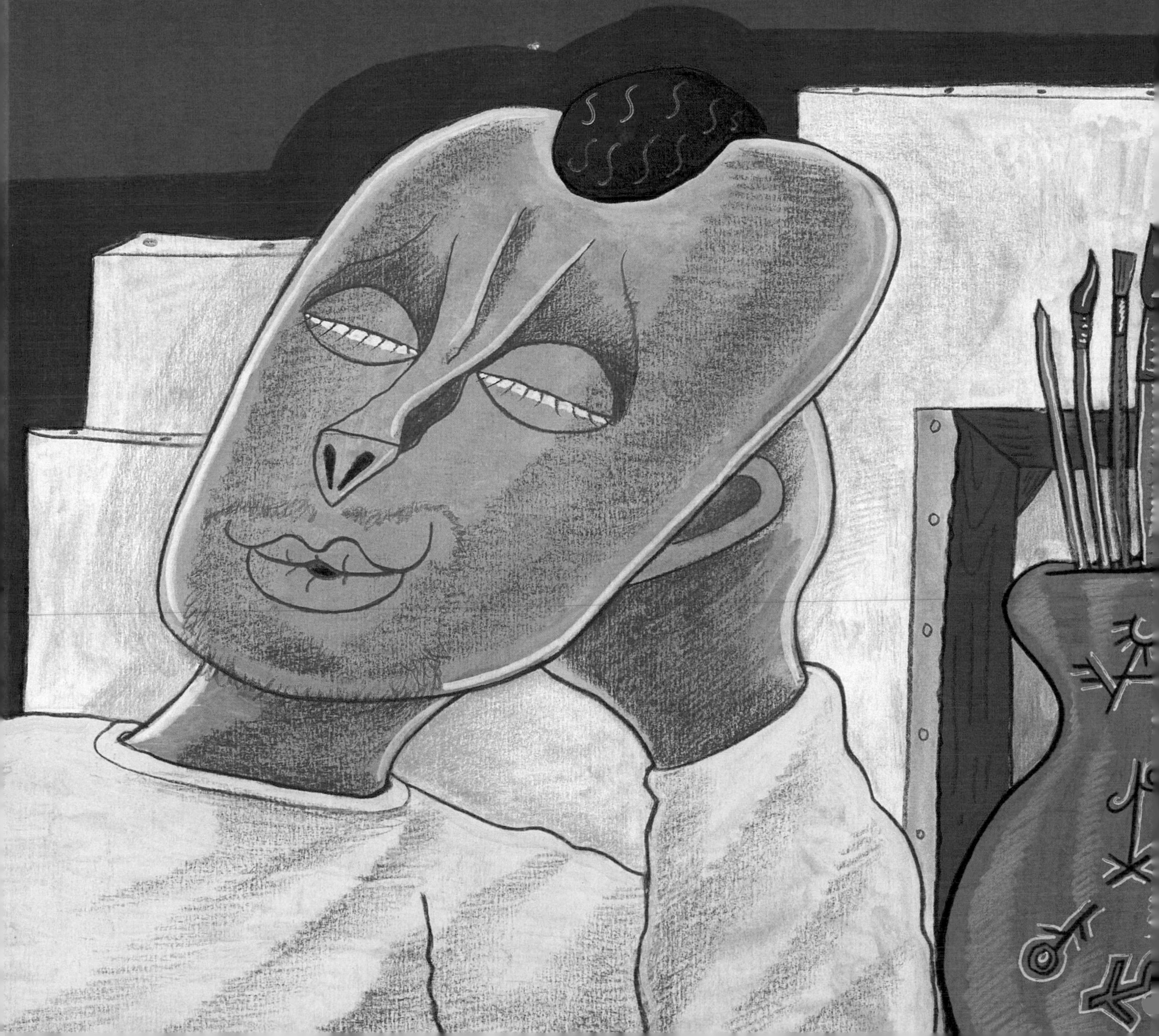